摩天大楼

竞 雯◎著　　小千千◎绘

出发!

小棋深吸一口气,像离弦的箭一样冲上台阶。

北京科学技术出版社
100 层童书馆

坐落于上海市浦东新区陆家嘴的上海中心大厦
是一座摩天大楼，地面上共有 127 层。

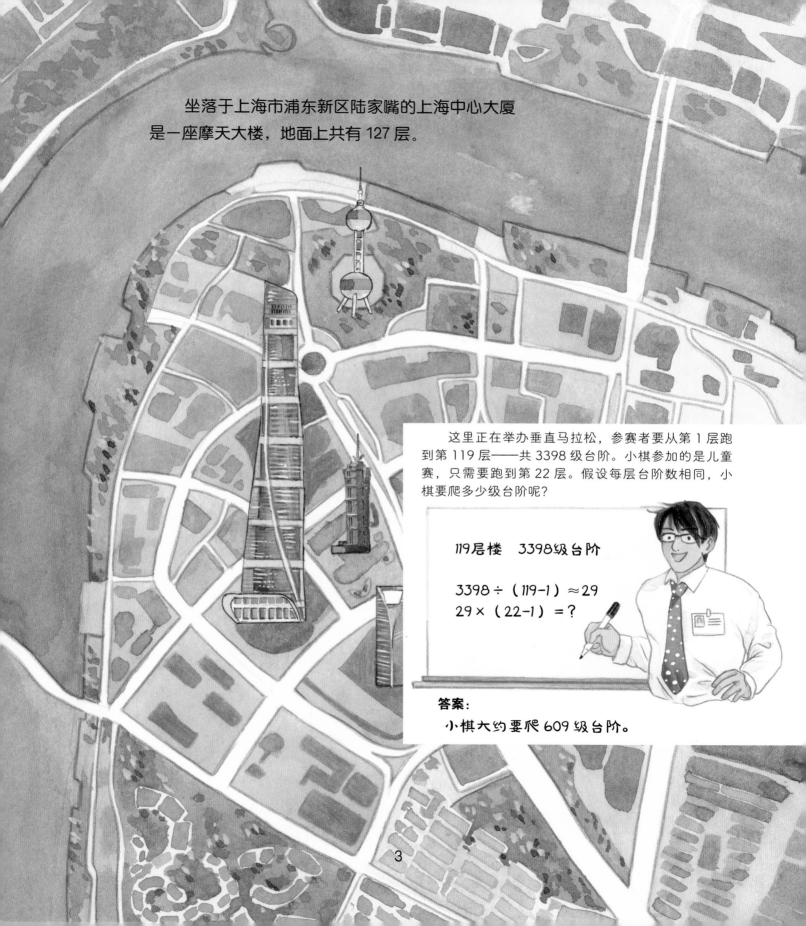

这里正在举办垂直马拉松，参赛者要从第 1 层跑
到第 119 层——共 3398 级台阶。小棋参加的是儿童
赛，只需要跑到第 22 层。假设每层台阶数相同，小
棋要爬多少级台阶呢？

119层楼　3398级台阶

$3398 ÷ (119-1) ≈ 29$

$29 × (22-1) = ?$

答案：
小棋大约要爬 609 级台阶。

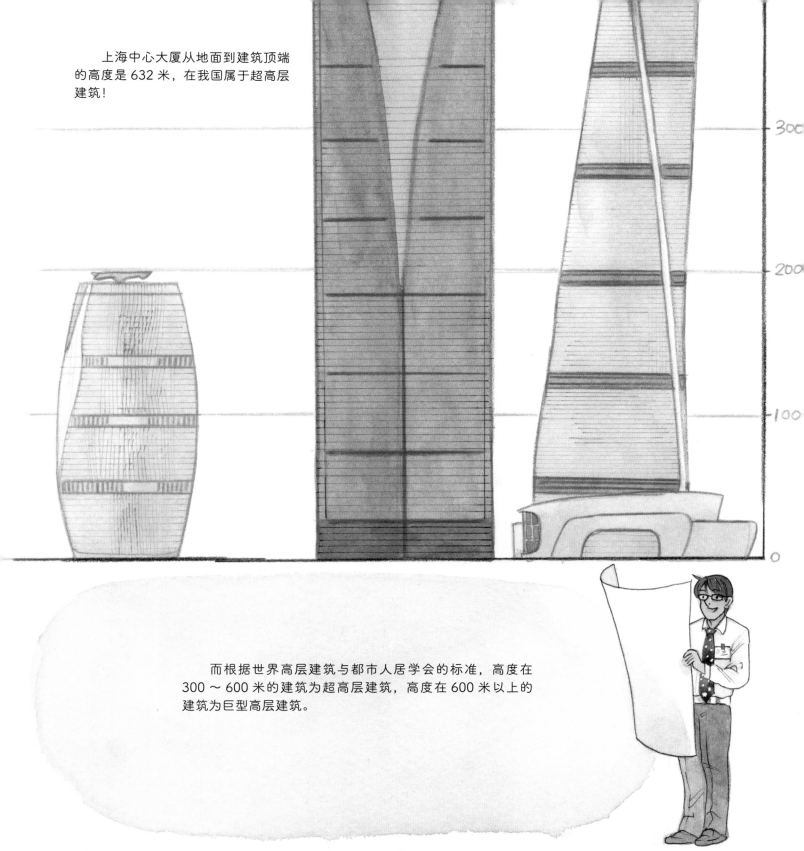

上海中心大厦从地面到建筑顶端的高度是 632 米，在我国属于超高层建筑！

300

200

100

0

而根据世界高层建筑与都市人居学会的标准，高度在 300 ～ 600 米的建筑为超高层建筑，高度在 600 米以上的建筑为巨型高层建筑。

上海中心大厦这么高，它为什么能稳稳地立住呢？

小棋想起了上海中心大厦的样子……

它像一条从黄浦江中腾空而起的巨龙，直冲云霄。

形状对摩天大楼来说非常重要。

常见的高楼的形状大多为长方体、圆柱、圆锥、棱柱和棱锥，这些形状的高楼可以稳稳地站立。

上海中心大厦近似于一个三角锥，只不过这个三角锥进行了巧妙的扭转，自下而上旋转了120°。

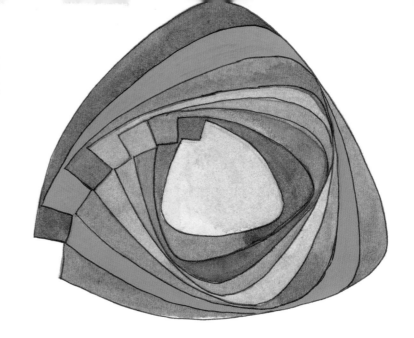

上海中心大厦曾经有很多不同的设计图。大厦最终采用了现在的设计，不仅考虑到建筑本身的美感，还兼顾了与周边建筑的和谐程度。

只有站得稳，才不容易摔倒。摩天大楼也是一样的——"脚下"一定要有强有力的支撑。摩天大楼的地基尤为关键。

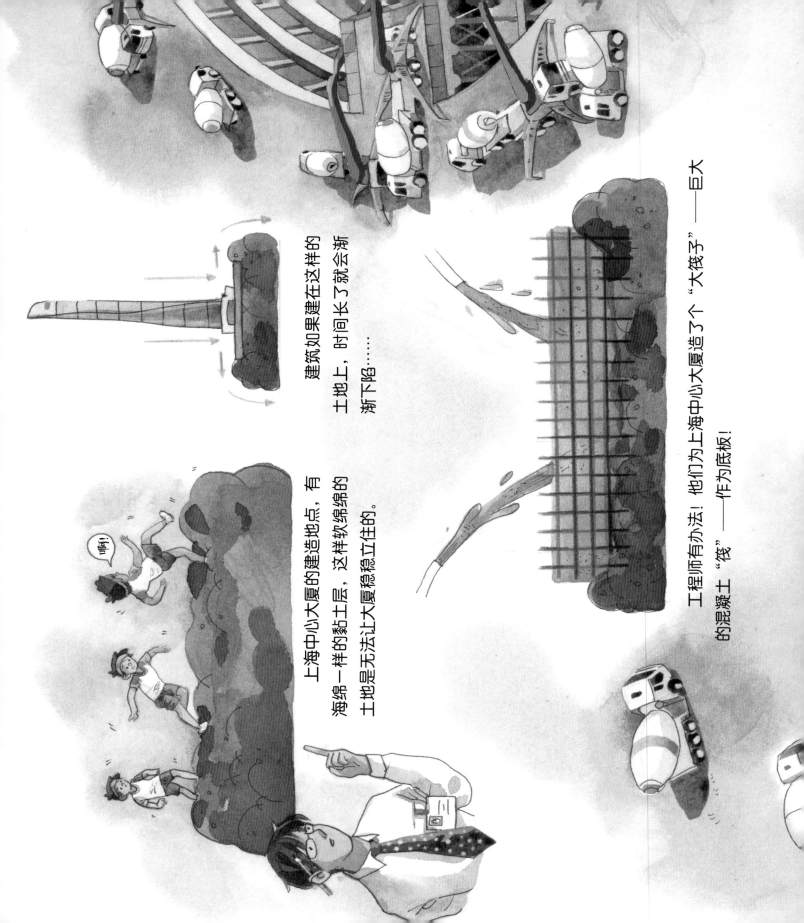

建筑如果建在这样的土地上，时间长了就会渐渐下陷……

上海中心大厦的建造地点，有海绵一样的黏土层，这样软绵绵的土地是无法让大厦稳稳立住的。

啊！

工程师有办法！他们为上海中心大厦造了一个"大筏子"——巨大的混凝土"筏"——作为底板！

工程师先将钢筋密集地插入土层，然后浇筑混凝土。巨大的混凝土底板稳稳地托起上面的大厦，使大厦的重量均匀分布。

造这个"大筏子"需要一次性浇筑 6 万多立方米的混凝土，这个纪录至今都没有被打破呢！

高度为 300 米及以上的建筑往往采用混合结构来支撑楼体。上海中心大厦最内层是钢筋混凝土浇筑成的核心筒，电梯间、楼梯和设备用房都在这里。

爬到第 10 层，小棋感觉有点儿累了……
他真想扶着墙休息一会儿呀！

大厦的墙壁可不简单，假如可以透视，我们会发现里面坚固的钢结构像骨骼一样稳稳地支撑起大厦。

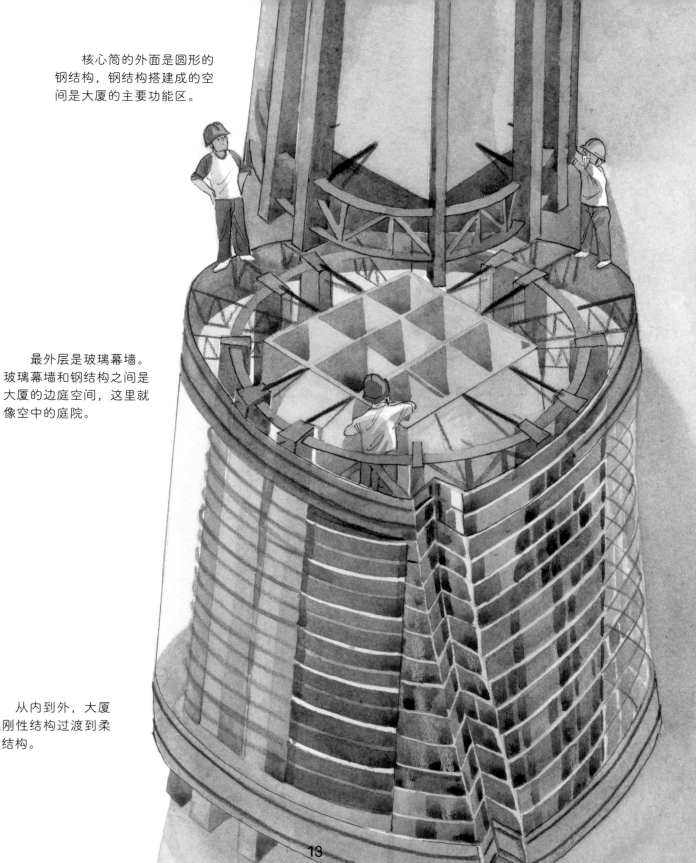

核心筒的外面是圆形的
钢结构，钢结构搭建成的空
间是大厦的主要功能区。

最外层是玻璃幕墙。
玻璃幕墙和钢结构之间是
大厦的边庭空间，这里就
像空中的庭院。

从内到外，大厦
从刚性结构过渡到柔
性结构。

13

小棋爬到了第 15 层，他长长地出了一口气！

高层建筑要稳稳立住，还面临一个巨大的挑战——风。

越到高空，风越大。风会"吹动"整栋建筑，让建筑摇晃甚至倒塌。

上海中心大厦螺旋式上升的外形削弱了大风对其表面的挤压作用。风遇到大厦的外墙，会被分散到不同的方向。

大厦表面的 V 形凹槽也使得空气在这里不易形成涡流。

风的方向

阻尼器的
摆动方向

大厦次顶层有一台关键装置，它就是调谐质量阻尼器。阻尼器重约 1000 吨，像一个巨大的钟摆。当大风来袭时，由于惯性，阻尼器会向风向的反方向摆动，产生一个"拉"住大厦的力，从而稳住大厦的"身体"。

这是阻尼器上面的雕塑，它被称为"上海慧眼"，非常壮观！

15

为什么要建造这么高的大楼呢？
　　上海中心大厦可不是一座简单的
高层建筑，在设计师的眼中，它可是
一座了不起的"垂直都市"。

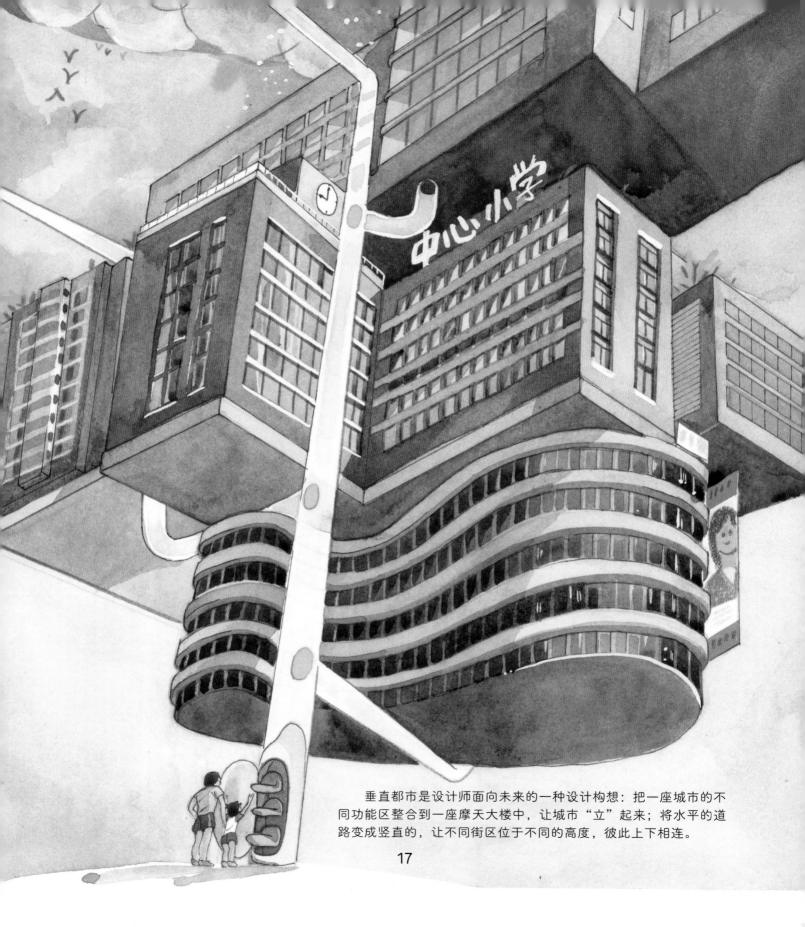

垂直都市是设计师面向未来的一种设计构想：把一座城市的不同功能区整合到一座摩天大楼中，让城市"立"起来；将水平的道路变成竖直的，让不同街区位于不同的高度，彼此上下相连。

17

终于，小棋到达第22层了！

接下来，小棋要乘坐电梯，向着更高处进发！

上海中心大厦从上到下共有9个分区，每个分区有12～15层。在这么高的大楼里工作、生活，如果天天爬楼梯可就太让人头疼了！不过，不用担心，设计师设计了各种各样的电梯，大厦里的154部电梯仿佛是"垂直都市"里的一条条道路。

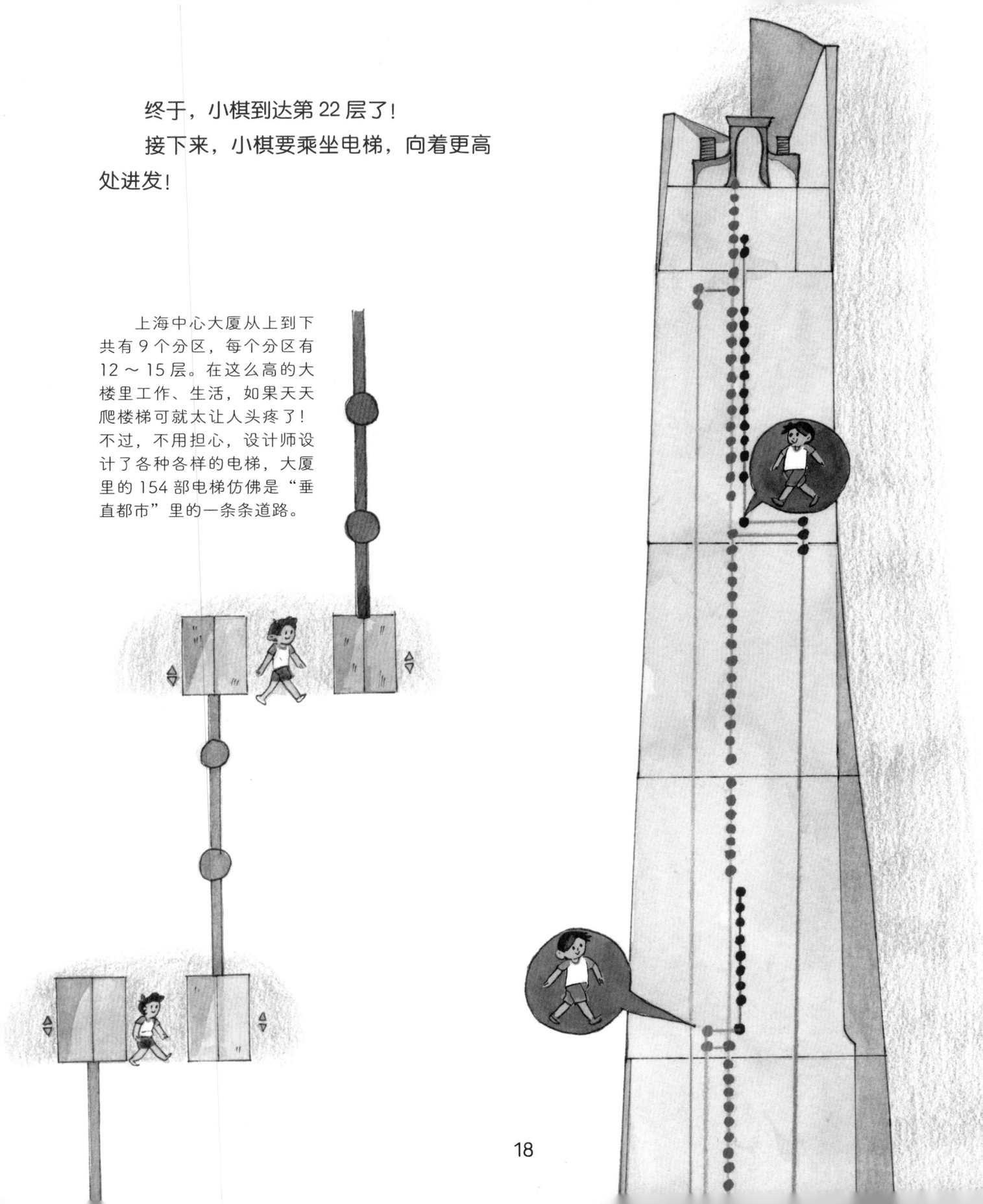

大家先乘坐电梯到想去的分区，再
"换乘"该分区的电梯——就像下火车后
换乘地铁一样！

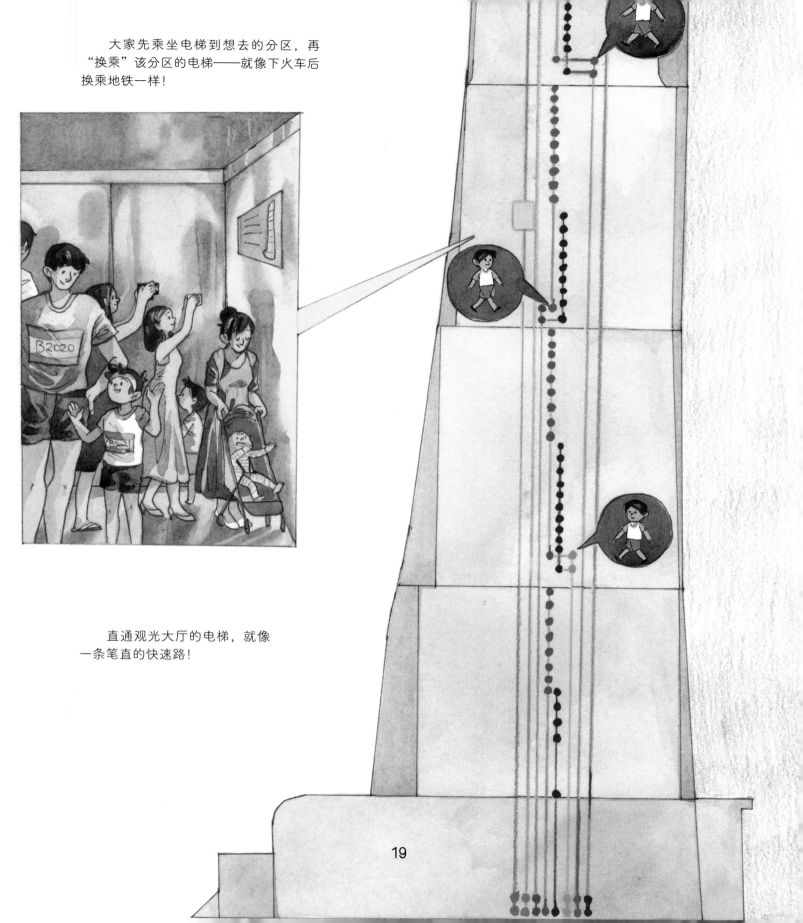

直通观光大厅的电梯，就像
一条笔直的快速路！

小棋在电梯里突然想到了一个问题：既然人可以乘坐电梯到顶层，那么在建造大厦时，是不是也可以让建筑材料"乘坐"电梯？

爸爸告诉小棋，建筑材料是"乘坐"塔吊上去的，这种塔吊还可以自己"爬楼"呢！

电梯到达观光层后，会再下去运送其他人。可是，塔吊"爬"到顶层，完成了运送建筑材料的工作后，怎么下去呢？

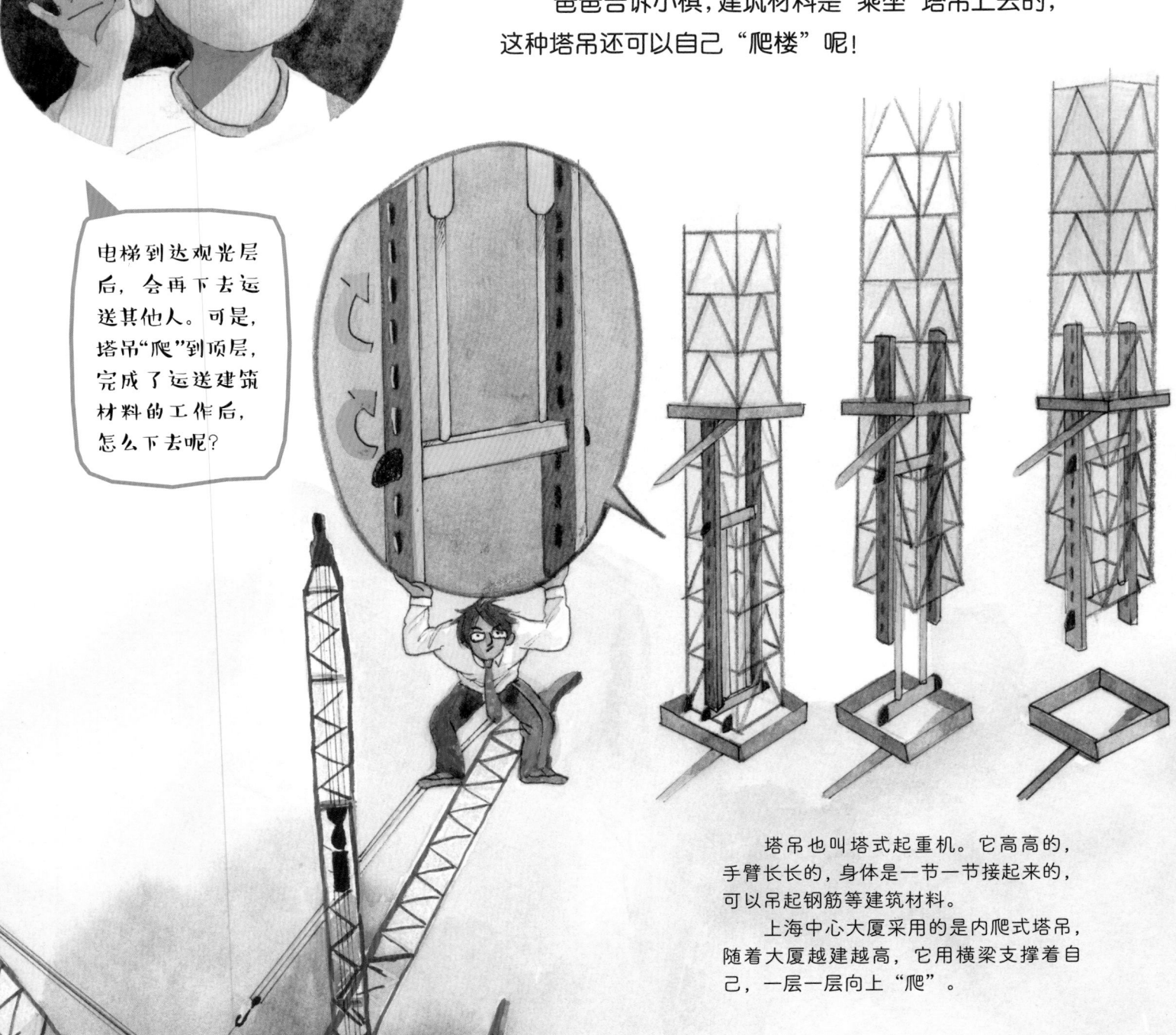

塔吊也叫塔式起重机。它高高的，手臂长长的，身体是一节一节接起来的，可以吊起钢筋等建筑材料。

上海中心大厦采用的是内爬式塔吊，随着大厦越建越高，它用横梁支撑着自己，一层一层向上"爬"。

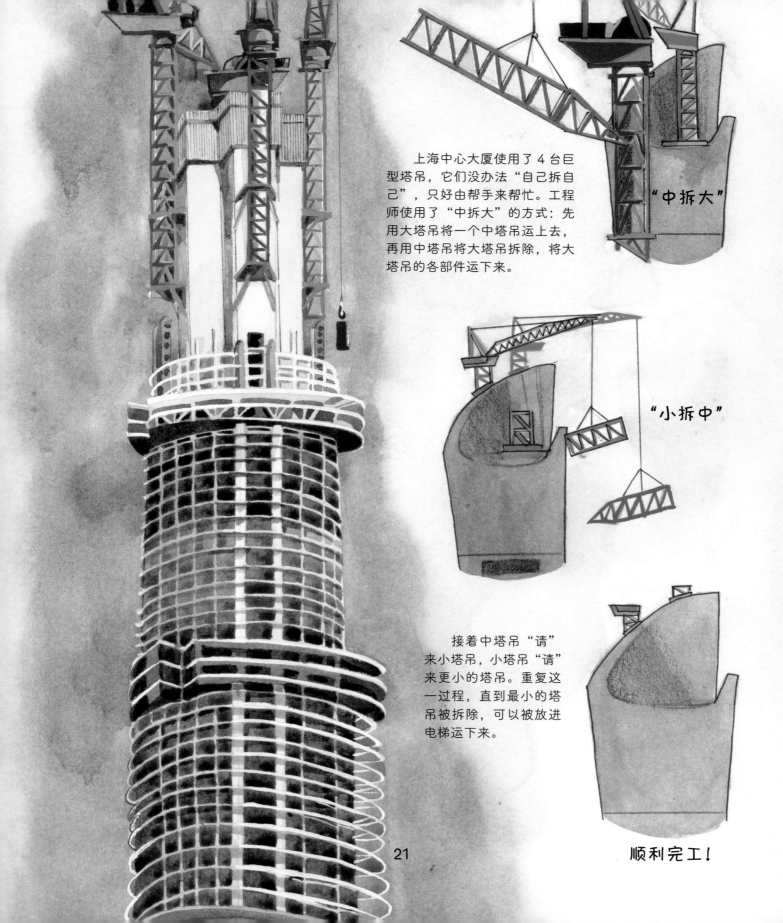

上海中心大厦使用了 4 台巨型塔吊，它们没办法"自己拆自己"，只好由帮手来帮忙。工程师使用了"中拆大"的方式：先用大塔吊将一个中塔吊运上去，再用中塔吊将大塔吊拆除，将大塔吊的各部件运下来。

"中拆大"

"小拆中"

接着中塔吊"请"来小塔吊，小塔吊"请"来更小的塔吊。重复这一过程，直到最小的塔吊被拆除，可以被放进电梯运下来。

21

顺利完工！

你知道小棋现在到哪里了吗？

藏在塔冠的擦窗机，可以沿着螺旋状的轨道行走，将大厦高层的窗玻璃擦得干净闪亮！

第 118 层和第 119 层都是观光厅，垂直马拉松的终点就设在第 119 层。

2013 年 8 月，主体结构封顶。

2012 年 12 月，主楼外幕墙安装正式启动。

来上海游玩的人可以入住上海中心大厦的酒店。

博物馆

电梯上升的速度太快了，小棋面前的楼层数字快速地变换着。电梯外面，不同楼层的景象也在快速地掠过。

电梯外的楼层都是什么样子的呢？

听说有的楼层有餐厅，小棋也想和爸爸去尝尝美食；有的楼层有空中博物馆，里面的展品一定特别有意思；有的楼层有书店，如果能在书店里看会儿书就太好了！

哇！好高呀！
摩天大楼真是太棒了！

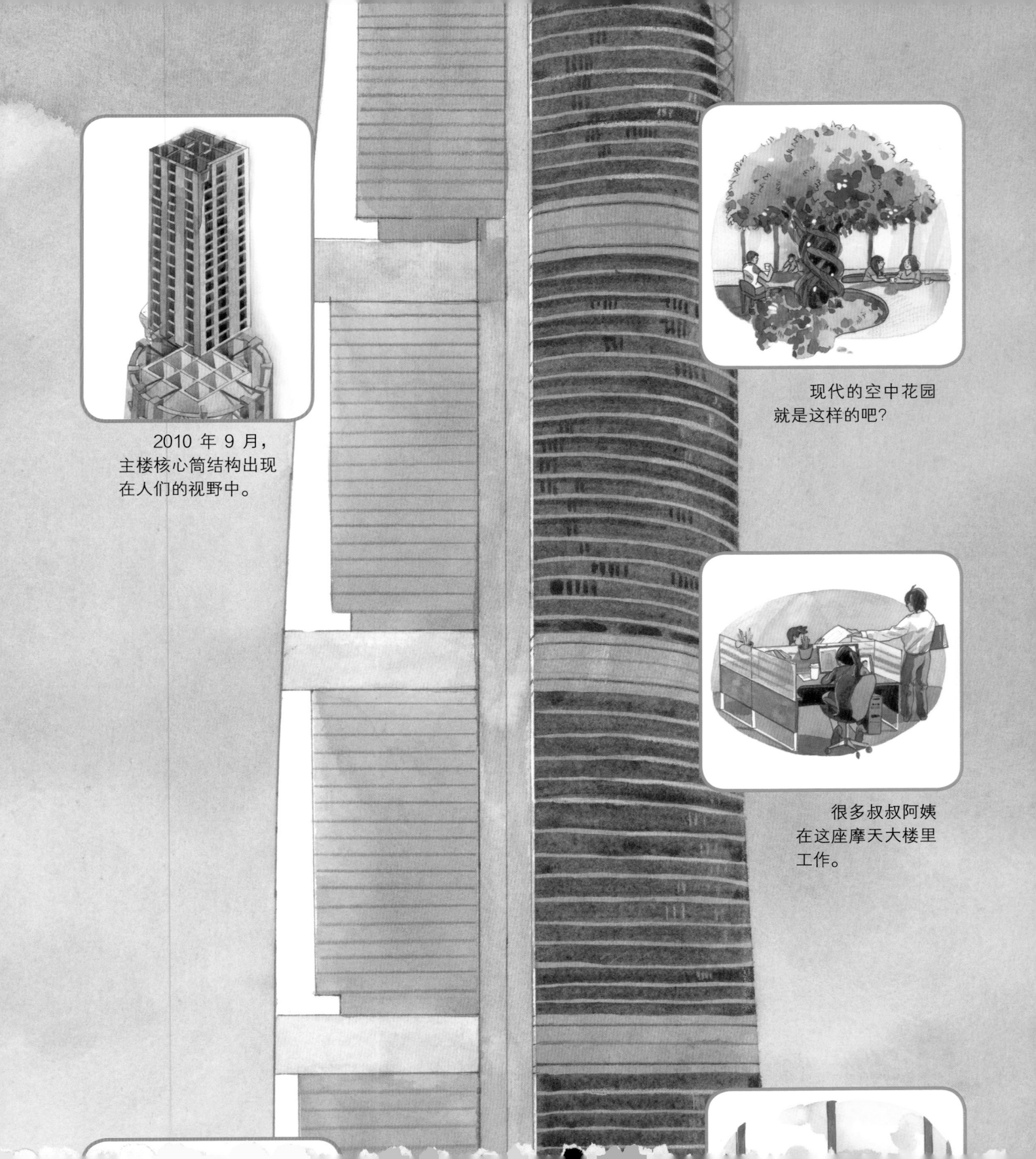

2010 年 9 月，
主楼核心筒结构出现
在人们的视野中。

现代的空中花园
就是这样的吧？

很多叔叔阿姨
在这座摩天大楼里
工作。

2010 年 3 月，
底板浇筑工程启动。

大厦内有很
多餐厅，该选哪
家呢？

"第一名！"

有人冲线了！
垂直马拉松的参赛者陆续到达终点，
观光大厅内掌声雷动，热闹非凡。

建设摩天大楼的过程如同跑一场马拉松，设计师、工程师和无数建设者付出了辛勤的汗水，现在的他们，大概在去往另一个"赛场"的路上吧！

垂直都市——让你在高处畅想建筑的未来

上海中心大厦里，一场特别的马拉松正在进行：参赛者不是在平地上奔跑，而是沿着楼梯一路向上，克服重力挑战自我。故事由此拉开了帷幕，小朋友将跟随小棋，从他的视角观察摩天大楼——上海中心大厦的神奇之处。

上海中心大厦是上海的城市名片之一，也是全世界最具代表性的巨型高层建筑之一。这座摩天大楼犹如巨龙腾空而上，人们在大厦内工作、生活、娱乐，体验着方方面面的便捷，俯瞰着上海的美景。上海中心大厦仿佛是一个街区甚至一座城市的"折叠版"，常被称为"垂直的外滩"。

这样的超高层建筑，正是对"垂直都市"的生动诠释。垂直都市源于人们对未来的美好追求——高耸入云的摩天大楼不仅仅是城市的地标，还可以为人们提供综合性服务。想象一下，从居住到工作，从就医到休闲，一栋建筑可以满足人们的各种需求，人们无须奔波几小时去博物馆或公园，只要坐上电梯，片刻之后就能在博物馆里徜徉、在公园里漫步……

然而，摩天大楼的设计和建造可不轻松。如何同时做到结构稳固、功能多样化和外形美观？这是建筑师面临的一大挑战。得益于科技的发展，人们憧憬的高层建筑出现了——钢筋混凝土打造稳固的基础和建筑主体，"定楼神器"让摩天大楼无惧高空的强风，双层玻璃幕墙巧妙地分割出艺术空间……通过上海中心大厦，我们窥见了未来城市的面貌，以及科技赋予我们的无限可能。

"垂直都市"是一个富有想象力的概念，可以激发小朋友的奇思妙想。相信小朋友在读完本书后，一定会对未来的建筑充满憧憬与好奇。我希望小朋友能开动脑筋，发挥想象力，提出"金点子"！

同济大学建筑与城市规划学院教授
世界高层建筑与都市人居学会（CTBUH）亚洲总部办公室学术副主任
王桢栋

地上层数

127 层

总建筑面积

约 58 万平方米

空中花园面积

7500 平方米

地下层数

5 层

总高

632 米

阻尼器重量

约 1000 吨

垂直社区数量

9 个